Premium

SLAM DUNK

슬램덩크 완전판 프리미엄

TAKEHIKO INOUE

23

● CONTENTS ●

SLAM DUNK
슬램덩크 오리지널

TAKEHIKO INOUE

23

● CONTENTS ●

SLAM DUNK

슬램덩크 완전판 프리미엄

DUNK

가기 전에
알아서
다행이다!

너 같은
1학년생이
나왔다는 것을….

너만한 인재를
잊을 수는
없으니까.

미국에
가버리기
전에….

헉

헉

헉

미국…!!

서태웅이라는
싹을 밟아두지
않으면….

까
…

깔
봤겠다!!

이 자식,
거기 서!!

어라?

17
년
전
─

막 태어난
아들에게
처음 건네준
장난감은…

아우ー!

자기 몸보다
큰 가죽공이었다.

왜 위험한
농구공을
준 거예요!

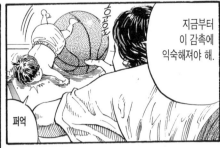

지금부터
이 감촉에
익숙해져야 해.

퍼억

우성아,
농구
안 할 거야?

쳇,
안 해!

거봐요.
애가
다쳤잖아요!

정우성 (8개월)

우와아…!!

와아…

!!

와아앗!!

무릎을 써라, 무릎을!

너무 높아~.

!!

4살 때부터,
그 정원에서
얼마만큼의
시간을 보냈을까―.

응?

지금
뭐라고
했나?

승부해,
아빠.

……

지각하겠어요.

질리지도 않나….

날이 새자마자 일어나 1 ON 1—.

우성아, 아빠 일하러 간다!

너도 학교 늦겠다!

앗! 이겨놓고 도망치다니! 비겁해!

그때까지 왜 졌는지 생각해 봐!

돌아와서 또 하자.

왜 졌는지….

아얏~! 또 이기고 도망치다니! 비겁해!

오늘은 그만!

아… 이제 안 보인다!

밤늦게까지 1 ON 1—.

빨리 밟아 두는 게 좋단다, 우성아.

장래 라이벌이 될 수 있는 상대를…

앗! 또 1 ON 1 으로 도전해 오는데!

지는 게 엄청 싫은가 보군!

서태웅이라… 우성이와 닮았군.

저 녀석도 이미 인정하고 있을 테지…

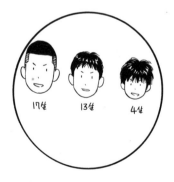

17살   13살   4살

#256 도전

지금 태웅이가
자신을 어떻게
생각하고 있을까가
걱정이야.

아니…
이기고 지고의
문제가 아냐.
그것보다도…

소연아,
아직은
모르는 거야…

이 정도라도
할 수 있는 건
태웅이밖에
없어.

조금도
수치스럽게
생각할 것 없어,
태웅아…!!

정우성이
너무 강한
거야.

태웅이의 플레이는
여느 때와 다를 게
없어….
아니, 그 이상이야!!

…단지,

아직
멀었다.

· · · · ·
!!

이
승부는…

정우성을 상대로
끈질기게
1 ON 1 승부를
계속하는
서태웅.

들어갈 리가 없는
무리한 슛을 쏘는
서태웅의 패배였다.

리바운드
─!!

웃.

이 녀석을
뛰어오르게 해선
안 돼!

빨강 까까머리
녀석―.

점프를 못하게
하는 것이
먼저고…

오오!

이게…!

볼을 잡는 건
그 다음이다.

의욕만 갖고
이길 수 있는
게임이 아냐….

저력의 차이가
나타나기
시작한 거다.

'실력의 차이'
란 건가….

좋아,
눌러라!!

트리오
블로킹!!

아뇨, 뭘….

미국행이 정식으로 정해져서 의욕이 대단하군요!

정우성의 저 즐기는 듯한 여유 있는 플레이. 정말 멋져요. 정우성 아버님!!

이런 견해는 섣부른 것일지 모르지만….

초등학교 땐 농구부가 없었고….

중학교에 올라와 비로소 농구 부원이 되었다.

없습니다.

리틀 농구 경험은…?

그럼에도 불구하고….

두근대는 가슴을 안고….

우성이는 지루함과 싸우고 있었다….

쳇,
뭐야…

재미없게
스리…

언제나
스타팅 멤버
선배들의
기를 납작하게
죽였다.

4살 때부터
매일같이 아버지를 상대로
1 ON 1을 반복해 왔던 우성이에겐,
이미 보통 중학생은 상대가 되지 않았다.

그 건방진
낯짝은!
또 맞고
싶나…!

뭐야,
너!!

헤헤,
펑펑
울어라.

이
자식이!

명심해!

앞으로 함부로
주둥이를
놀렸다간
끝장이야!

지겨워…

너희들
따윈….

신현철

이명헌

같은 선수가
있었으니까.

하지만
그래도
최강의 산왕에
스카우트된 건
다행스러운
일이었다.

하지만 반대로
시합에선
자신의 상대가 되는
선수가 없었던 것이다.
전국에도….

그렇게 어렸을 때부터….

4살 때부터 내게 도전하게 해 왔으니까요.

예?

연습 땐 눈에 띄는 플레이를 보이지만, 게임에선 왠지 집중력이 없다고 할까….

그건 제 책임일지도 모릅니다, 선생님!

녀석의 취미는 1 ON 1으로 내게 도전하는 것이었습니다.

중학교 입학 후, 녀석은 처음으로 날 이겼죠.

그때 우성이가 기뻐하던 모습은 지금도 잊을 수 없습니다.

선생님,

산왕에서 미국 원정은 가지 않나요?

!!

그 1 ON 1의 나날들이 녀석의 인생을 결정지어버린 건지도 모릅니다.

그곳이라면 우성이 같은 선수들이 많이 있을 텐데…

도전이야말로 너석의 인생인 것입니다…

우왓!!

…하지만,

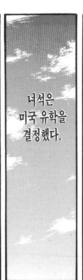

너석은 미국 유학을 결정했다.

원정은 성공적이었다.

서태웅.

벌써
포기한 거냐.

헉

헉

헉

헉

헉

헉

헉

헉

헉

回全国高等学校バスケットボール選手権大会

…아직이다.

절대
지지 않아…

중학교 때 한 번
싸웠을 뿐이지만
도저히 이길 수 없었던
녀석이 있었다.

이름은…?

정성우….

정성우.

지… 지는 건가….

이것이 현실인가….

이상하게도…

굴욕감은
들지 않았다.

안에서
자꾸자꾸
끓어오르는

이제
끝난
거냐…?

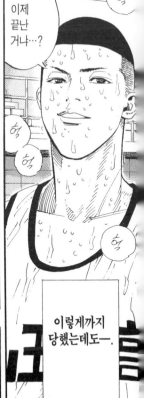

이상한 감정을
도저히
누를 수가
없어서….

이렇게까지
당했는데도—.

원 샷!!

미국?

신중해,
정우성!!

…서태웅도
웃었다…

우성이처럼.

낮은 장난감 림에서 진짜 림으로 바뀌었을 때.

미국원정.

나와의 1 ON 1.

넘어야 할 장애물을 발견했을 때, 우성이는 항상 저렇게 웃었다….

서태웅.

그 역시도 도전을 삶의 보람이라 여기는 선수란 말인가.

마지막까지
싸우자.

코트의
다섯 명은
굉장한
상대와
싸우고 있다.

벤치도….

이봐.

용기는 잃지
말아야지.

대신해줄 수
없다면,
적어도—.

그렇지는
않아.

넌 그 재능을
충분히 살리지
못하고 있어.

뭐
…!

10초
남았다!!

앞으로
8초!!

이젠
어찌할
방도가
없나
보군.

힘들겠지만 역시 지금은 자네가 뭔가를 해줘야만 해.

태웅군...

태웅아!

6초!!

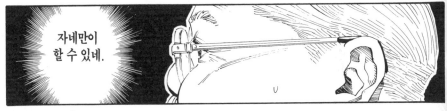

자네만이 할 수 있네.

30초 룰에 걸리겠어!

앞으로 4초!!

그 진짜 의미를...

자넨 아직 윤대협을 이기지 못해...

스톱한 후
점프슛?

하지만.

앞으로
돌파하지
않잖아!!

마크에서
벗어날 수
없을 텐데.

선생님…

……
!!

정우성과 정면대결로 부딪칠 줄 알았는데.

멋지군.

나이스 패스, 11번!

광장해.

좋은 판단이다….

이 녀석이 패스를….

들어가!!

빌어먹을·!

아직
우리에게
희망이
있는 걸까?!

패스!

!!

우앗!!

미국이라고… 흐흥.

이런 순간에도 백호 넌…
·····!!
너란 놈은…

나도 미국 갈 거다!

간다고!

뭐?

너무 커!!

점프하지 마!

아?

!!

산왕공업 74 2ND HALE
북   산 59 41:30

그래….
저 선수로 인해
북산은
아직도 버티고 있어.

저 1학년생
에이스가
팀을 움직이고
있다.

……

산왕의 슛이 실패한다.

리바운드는 강백호!! 오늘 10개째.

그런 거구나.

하하핫.

좋―아, 좋았어!

나이스 리바운드!

짧은 시간과
점수차가
무겁게 압박해
온다…!!

이 한 골…,
성공하면
그대!!

반대로
실패하게
되면….

북산 4:08 산왕공업

59 SEIKO 74
2ND

자아,
이 천재에게
바쳐라!!

OH,
뭐하는
거야?

패
스
를
…!!

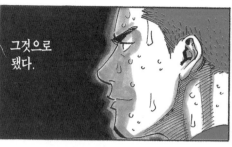

그것으로
됐다.

간신히 주제를
파악한 것
같군.
여우 녀석.

그래,
넌 그런
녀석이다.

포석…

두 개의
패스는…

저것으로
정우성의 머리엔
'패스도 있다.' 라고
인식되었을 것이다.

하나로 좁혀지지 않기 때문에 망설이게 된다.

디펜스는 그 다음이 된다.

빗은 바로 갚아야 하는

!!

105   *SLAM DUNK #260*

제쳤다!!

#260 빚은 바로 갚아야 하는 법

실수했다....

좋아,
좋아!!

하나
벌었다!!

이것으로
점수차와 시간이
무겁게 짓누르기
시작했다.

북 산   4:00   산왕공업

SEIKO

59   2ND   74

백호에게
있어선
바늘방석….

일부러
그런 게 아냐….

그걸 알기 때문에
태웅이도
아무 말 안 하는
거야….

……!

아무리
태웅이가
밉기로서니….

나도
솔직
하지만….

어쩔 수 없지.
저 녀석이
잘못한 거야.

일부러
그런 게
아냐….

저 녀석이
참고 있어!

차… 참고
있다!!

오른쪽
45도
위치에서.

패스를
받으려고
했던 거 아닐까?

그래서
저렇게
안 좋은
위치에…

백호
녀석…

아!

자아,
바쳐라!!

패스를!!

오른쪽
45도?

앗…!!

나이스 숫—!!

백호야.
오른쪽 45도가
확률이
가장 높아.

그래?!

자 봐봐….

어쩌라구 일까?!

오른쪽
45도!!

바스켓볼
선수가
돼 버린 거야….

디펜스다!!

이제
한 개라도
더 허용하면
안 돼!!

...맘껏
날뛰어라
서태웅!

바보 같은 녀석!
저 녀석을
네 덩치로 숨겨준
꼴이 됐잖아!

미안해,
형!

게다가
지금
까지의
녀석과는
뭔가가
달라.

드디어
태웅이가
기세를 타기
시작했다…

와앗!

양 팀 모두
에이스로
승부다!!

그렇다면
정우성의
머리도
반드시
패스를…

!!

저 멍청이조차도
내가 패스할
거라고
생각하고
있었다!

…의식하고
있을 것이다.

훼이크에도
걸린다.

여러 가지
선택으로 나뉠 때
디펜스는
흔들린다.

이미 난
팔도 제대로
올라가지
않는데….

이미
저 녀석은
한계야…!!

빌어먹을!
역시…

라스트
3분 30초….

13점!!

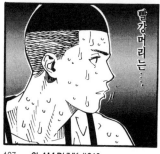

좋아,
달려!!

가
라
!!

어서
달려!!

웃!!

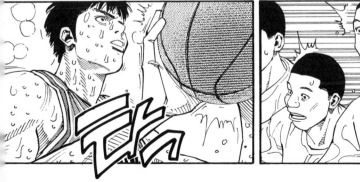

정말 멋진 패스였다.

음…

쳇…

끈질기군 …!!

뭐야, 저 녀석들….

또 10점차까지 쫓아온 거야…?!

뭐… 뭐야?!

자신이 득점은 못 하더라도

어떻게든 패스로 연결해 주위를 잘 살리고 있다.

저 11번…!

태웅이도 그렇고, 백호도 그렇고.

이 녀석들…

저 녀석들, 어느새 패스하는 걸 배웠지…

서태웅을 중심으로 팀이 기능을 회복하기 시작했다…!!

점점 변해가고 있다…!!

아까의 차징 파울 덕분인가…

됐어!! 백호의 의미 없는 움직임을 신경 쓰고 있구나, 정우성.

현필아, 강백호가 어디에 있는지 알려줘.

아…

예… 예!

마침 파울 아닌 그 한 번이 찾아온 걸 같고…

열 번에 아홉 번은 백호의 파울이 될 거였는데.

…!

고민해라, 고민해라, 정우성.

1031…?

※1031은 일본어로 천재라고도 읽는다.

＊1031 = 천재…

백호야 디펜스 1031이다!

응?

그건 그렇고, 도감독이 타임아웃을 왜 안 부르지…?

두 개 있으니까 한 개 정도는 이쯤에서 불러도….

북산 쪽이 백 배나 더 타임아웃을 원할 겁니다.

여기서 부르면 북산이 아주 기뻐하겠죠.

아아, 그렇겠군….

저 녀석들 스스로 뭔가 할 겁니다.

지금까지도 그렇게 했듯이.

저건…

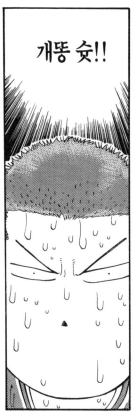

개똥 슛!!

우성이가
미국 원정 때
블로킹을 피하기 위해
몸에 익혀
두었던…

#263 일리 있다

……

이 시간대에
우리가 쫓기고
있는 건…

벌써
3분대가
지났잖아.

한 명
한 명의
정신력이…

가장 괴로운
이 시간대야말로
진정한 능력만이
진가를
발휘하기
때문이다.

지난 몇 년 동안
경험하지
못했던 일이다.
왜냐하면….

태웅이 놈, 또 실수할 거야.

고릴라.

?

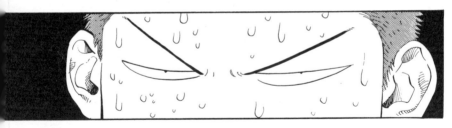

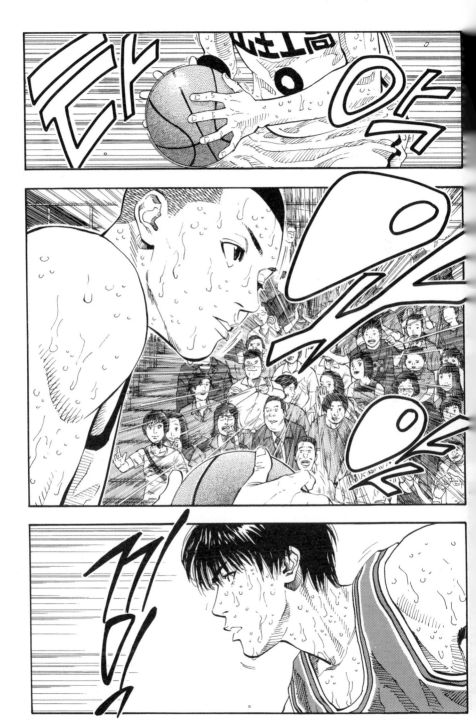

빌어먹을!!

백호야,
이번엔 파고
들어간다!!

신현철을
프리로
두는 건
모험이지만….

정우성 녀석은
패스하지 않아.

네 말에도
일리는 있다.

진 적이 없기
때문이야.

#264 구세주

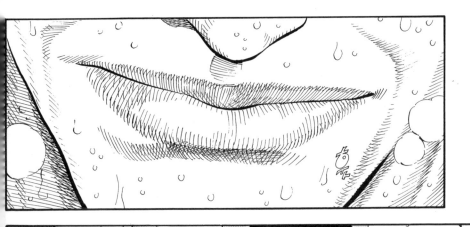

조심해라,
송태섭!

상대가
의기충천해
있을 때,
슬슬 움직이기
시작하는
것이….

우린
할 수
있다!!

가라앗
—!!

이명헌이라는
사나이다!!

잘했다, 명헌아!!

부탁이야, 볼을 잡아!!

볼이 내 몸에 맞았어!

아앗!!

으악 으악 으악

정대만!!

대만이 형!!

포기하지 마라—!!

헉,

헉,

포기하지 마라!!

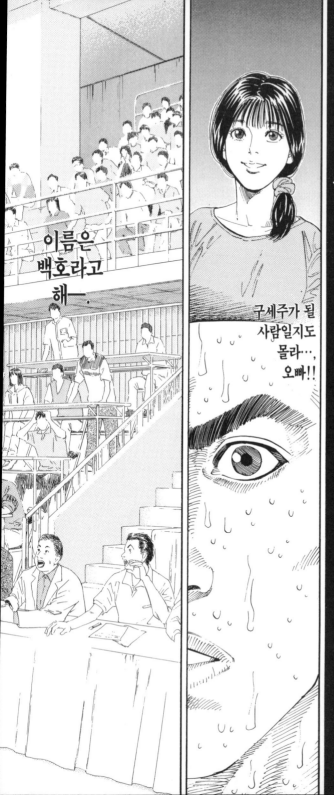

이름은
백호라고
해—.

초보자지만…
언젠가는
농구부의…

구세주가 될
사람일지도
몰라…,
오빠!!

하지만 이해할 수 있을 것 같아…

북산―!!

뭐… 뭐야, 이건…?!

대부분이 산왕팬일 텐데….

북산의 이런 강력한 막판 파이팅은

마치 평소 때의 산왕 같다…!!

북 산 2:17 산왕공

66 SEIKO 2ND 74

하지만 정대만의 연속 3점슛으로 따라붙고…

후반 시작하자마자 존 프레스로 20점차…

도대체 몇 번을 몰아붙여야 포기할 거냐….

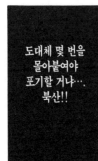

도대체 몇 번을 몰아붙여야 포기할 거냐···. 북산!!

여기서 1학년생인 서태웅이 중심이 되어 또 한자리 점수차로···

정우성의 화려한 개인기로 다시 18점차.

카카캇! 잘 한다! 더 소리쳐라, 소리쳐!!

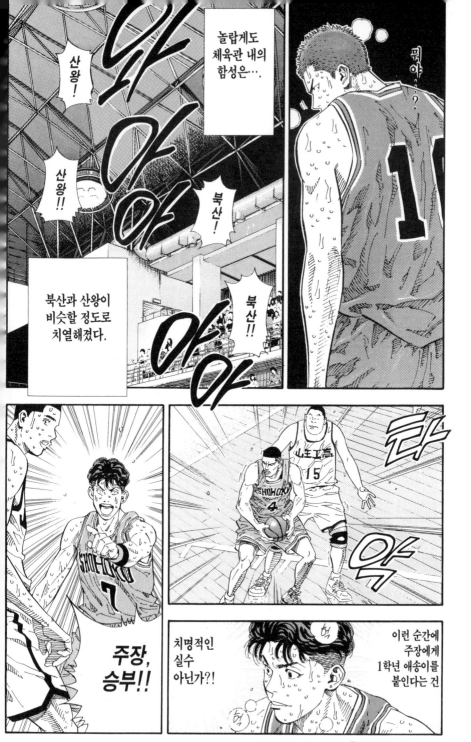

페이드
어웨이
ー!

리바ー.

!!

웃
!!

아직도
신현철이
두려운
거냐!!

멍청한
녀석!!

언제라도
도와주러
갈 수 있도록…!

신현철 녀석
항
동생 쪽
보고 있다

……

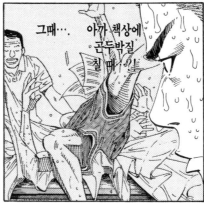

그때…. 아까 책상에
곤두박질
칠 때…!

집중력이
부족해!

어디가…?

예전에
그때가 훨씬
나았어.

……?

앙
?!

뭐… 뭔 소리냐,
집중력 귀신
강백호에게…

· · · · · ·
‼

내가 온 힘을
다하게 만들
정도였으니까.

네놈이
감히!!

정
안 되겠으면
교체하든가.

환호성으로 봐서 이제 끝났나봐.

아아···. 벌써 승부가 난 건가···?

아, 산왕의 게임을 보고 싶었는데···.

나도 농구선수니까.

게다가 에이스 정우성···.

신현철···.

주장 이명헌에다,

잠깐만 보고 올까···.

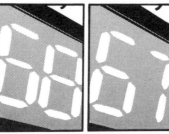

점점
아파온다··!

으
으···

!!

아뇨,
등이 조금···

·····?

어디 아프니,
백호야?

이 녀석들도
전혀 포기하지
않고 있다···!

상대가
산왕
인데도!!

·········

자아,
불꽃 튀는
북산의
추격전이
시작됐다!

오오~

맞는
말씀.

이걸
잊다니….

역시….

여기
있었군.

난 추가시험…

뭐—? 말도 안 돼.

보충수업 때문에 늦는다고 말해 뒀어.

아, 근데 서클활동 안 해? 전국대회가 가까워졌잖아.

솔직히….

그 녀석은 막무가내야, 정말!

녀석에게 끌려다니고 싶지 않아.

치수가 화낼 텐데…. 걔 엄청 무섭잖아….

괜찮아. 원래 단순한 녀석이니까.

무섭긴 하지만…

이것이 나의
시작이고…

최종
목표다…

그래….
오늘도 말야.

너덜너덜한
옛날 잡지를
보여주면서….

!!

…목표다.

…목표다.

해남으로 갔으면 됐잖아!

산왕에 도전하고 싶으면

여긴 북산고교다.

아무런 재능도 없는

평범한 고교생이 모이는 곳이라구.

강요하지 마, 전국제패라니.

너도 키만 컸지 실력이 형편없으니까 해남도, 상양도 갈 수 없었던 거잖아.

해남도 우리에겐 먼 하늘의 뜬구름일 뿐야.

너와 함께
농구하는 건
숨이 막혀!

뭐하는
거야,
치수야!

모두 벌써
돌아가
버렸다고!!

왜 이런 게
생각나는
거냐,
바보같이.

아직
뭔가를
이룬 건
아냐.

너 왜 질질 짜고
있냐?!
재수 없게.

SHOHOKU
14

SHO
BASK

!!

아앗~!
무슨
생각한 거야,
...주장!!

필사의 추격을
해야 하는
이 중요한
시기에?!!

응?

이길 자신이
없는 거냐,
너!! 질질 짜긴.

아…
내가
왜..?!

아… 아냐,
바보
녀석들아!

이건
땀이야!!

땀이
눈에…!

!!

언제부터
그렇게 맘이
약해지셨나
…

．．．

우리 팀의
믿음직스러운 모습에
순간 마음이
찡해진 거냐….
치수야….

승부는
지금부터다!!

냉정해지자!!

…옛날부터
이런 동료를
원했었는데

등이라고—?!

응?

선수 생명이
걸려
있어….

조금
뜨끔거릴
뿐이에요.

등…
어디가?

어떤
통증인데?!

욱!

23 SLAM DUNK(完)

ISLAM DUNK

슬램덩크 완전판 프리미엄 23

2007년 9월 23일 1판 1쇄 발행   2023년 2월 14일 2판 3쇄 발행

•

저자 ······ TAKEHIKO INOUE

발행인 : 황민호
콘텐츠1사업본부장 : 이봉석
책임편집 : 김정택/장숙희
발행처 : 대원씨아이(주)

•

서울특별시 용산구 한강대로 15길 9-12
전화 : 2071-2000 FAX : 797-1023
1992년 5월 11일 등록 제 1992-000026호

©1990-2022 by Takehiko Inoue and I.T. Planning, Inc.

ISBN 979-11-6944-820-8 07830
ISBN 979-11-6944-793-5 (세트)